漫話國寶

02 陝西歷史博物館

杜瑩◎編著　　　朝畫夕食◎繪

中華教育

漫話國寶 02 陝西歷史博物館

杜瑩◎編著
朝畫夕食◎繪

出版　中華教育
　　　香港北角英皇道四九九號北角工業大廈一樓B
　　　電話：（852）2137 2338　　傳真：（852）2713 8202
　　　電子郵件：info@chunghwabook.com.hk
　　　網址：http://www.chunghwabook.com.hk

發行　香港聯合書刊物流有限公司
　　　香港新界荃灣德士古道220-248號
　　　荃灣工業中心16樓
　　　電話：（852）2150 2100　　傳真：（852）2407 3062
　　　電子郵件：info@suplogistics.com.hk

印刷　深圳市彩之欣印刷有限公司
　　　深圳市福田區八卦二路526棟4層

版次　2021年3月第1版第1次印刷
　　　©2021中華教育

規格　16開（170mm×240mm）
ISBN　978-988-8758-07-4

責任編輯　吳黎純
裝幀設計　陳淑娟
排版　　　陳淑娟
印務　　　劉漢舉

·目錄·

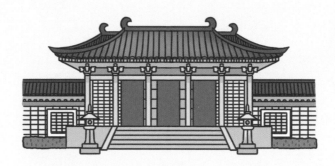

　　陝西歷史博物館坐落於陝西省西安市。西安古稱長安，歷史上先後有周、秦、漢、隋、唐等十三個王朝在此建都。博物館內珍藏有豐富的各類文物，上起遠古人類初始階段使用的簡單石器，下至近代社會生活中的各類器物，時間跨度長達一百多萬年，精彩紛呈。

第一站

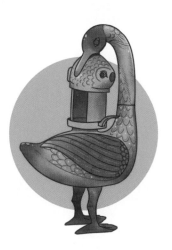

雁魚銅燈

★ 個人檔案 ★

姓　　名：雁魚銅燈

年　　齡：2000 多歲

血　　型：銅型

職　　業：燈具

出生日期：西漢

出　生　地：陝西省神木縣店塔村

現居住地：陝西歷史博物館

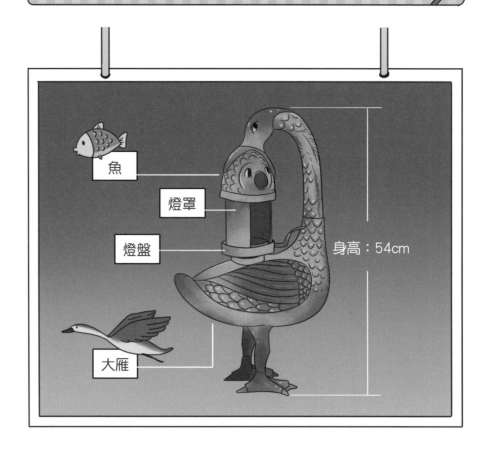

魚

燈罩

燈盤

大雁

身高：54cm

9月15日　星期六

　　久聞來自西漢的雁兄大名，今日終於得以一見，興奮得我昨夜都失眠了。這雁兄的樣子特別有趣，嘴裏咸銜了一條大魚。你說他這一銜就是幾千年，又不嚥下去，應該很累吧！

不！不！不！

雁魚銅燈可不只是個擺設，還是個超**實用環保**的銅燈。

明明可以靠顏值，
　　偏偏就要靠才華。

環保銅燈？！

古時候沒有電燈，一到晚上，
古人就會點上油燈或者蠟燭用來照明。

油？

漢代的燈油主要是用動物的油脂做的，比如<u>魚油</u>和<u>羊油</u>。

貢獻一點我們的皮下脂肪層！

油燈和蠟燭點燃後會產生黑煙，不但味道難聞，還很嗆鼻子，時間長了會熏黑房屋以及屋內的傢具，所以很污染環境。為了減少煙塵的污染，工匠們在設計的時候特意設置了一個 過濾煙塵 的裝置。

我怎麼看不見了……

難以置信

過濾煙塵的裝置？這麼高級？

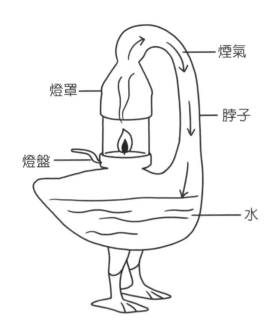

煙氣

燈罩

脖子

燈盤

水

油燈被放在燈盤裏面，點燃油燈後產生的煙霧**向上升騰**，黑煙會從大雁嘴裏銜着的魚型燈罩**飄進**大雁的脖子裏面，再由大雁脖子**下沉**到大雁肚子當中。而古人會在大雁的肚子裏盛一些水，有些黑煙就溶解在水裏了，當時就是利用這個方法來解決油煙問題的。

雁魚銅燈原理圖

難以置信 +1

低碳環保可是我們現在流行的理念啊！

保護環境 人人有責

沒想到在兩千多年前的西漢，環保理念就已經深入人心了啊！

羨慕啊，老兄！

小小的燈火搖曳的不僅是光明，更是智慧！

而在西方，直到進入 15 世紀，意大利才有了類似的設計。所以，漢代人在銅燈的設計上迸發的智慧之光，今天仍然讓我們感到欽佩和自豪。

咦？兩片燈罩還可以像移動門一樣移來移去呀！

雁魚銅燈燈罩是可以自由轉動的，這樣就能調節燈光照射的方向，如果風吹過來還可以防禦來風，保護火焰不會被吹滅。

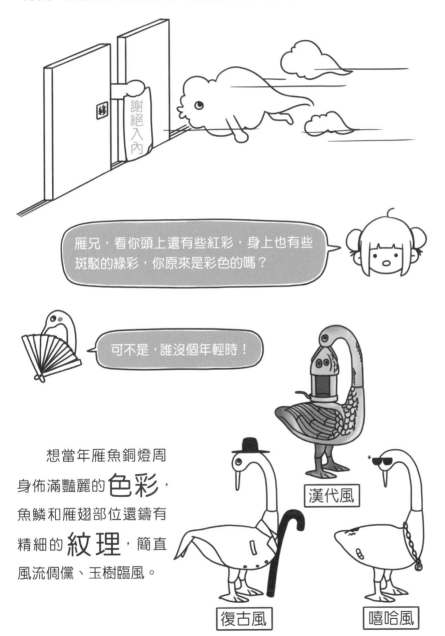

雁兄，看你頭上還有些紅彩，身上也有些斑駁的綠彩，你原來是彩色的嗎？

可不是，誰沒個年輕時！

漢代風

想當年雁魚銅燈周身佈滿豔麗的**色彩**，魚鱗和雁翅部位還鑄有精細的**紋理**，簡直風流倜儻、玉樹臨風。

復古風

嘻哈風

為甚麼要把燈做成**大雁**和**魚**的樣子呢？

在漢代，大雁可是象徵傳遞思念和祝福的吉祥鳥，魚是「餘」的諧音，寓意生活富足有餘。大雁銜魚造型的器物寄託了人們追求富足生活的**美好願望**。

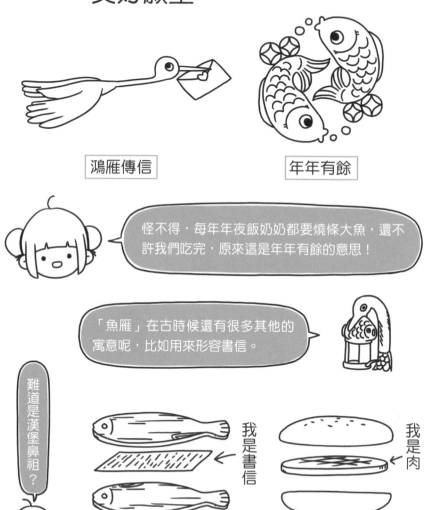

鴻雁傳信

年年有餘

怪不得，每年年夜飯奶奶都要燒條大魚，還不許我們吃完，原來這是年年有餘的意思！

「魚雁」在古時候還有很多其他的寓意呢，比如用來形容書信。

難道是漢堡鼻祖？

我是書信

我是肉

書信在傳遞過程中很容易損壞，為了防止信件損壞，古人就把書信夾在兩片平整的木簡中，而木簡通常會被刻成魚的樣子。

漢樂府詩《飲馬長城窟行》就寫道：

客從遠方來，遺我雙鯉魚。

呼兒烹鯉魚，中有尺素書。

這裏的「鯉魚」，可不是吃的鯉魚，而是竹木簡；「烹」字也不是指「去燒菜」，是指「解開」。

後來人們便把書信叫作「魚書」了。

大雁是候鳥，秋去春來，就像定時往返的郵遞員。古人覺得大雁能傳遞消息，所以書信又被稱作「飛鴻」「鴻書」等。

小小博士

我們知道了西漢時期的雁魚銅燈具有驚人的環保功能，而跟它有着異曲同工之妙的另一個非常著名的銅燈叫作——長信宮燈。

長信宮燈高 48 厘米，重 15.85 千克，設計上非常巧妙——整個宮燈是個左手托住燈座，右手提着燈罩，跪坐着的宮女形象，宮女的神態恬靜優雅。她的右臂與燈的煙道相通，寬大的袖管垂落下來，巧妙地形成了燈的頂部。燈罩可以左右開合，這樣就能隨意調節燈光的照射方向、亮度。宮燈點燃後，煙會順着宮女的袖管進入體內，不會污染環境，可以保持室內清潔。因為這個宮燈曾經放在長信宮內，所以得名長信宮燈，它也是西漢時期製造的哦。

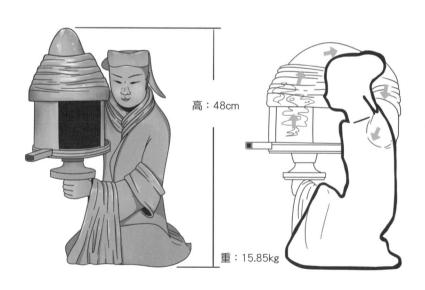

高：48cm

重：15.85kg

哈哈劇場

之「肌肉雁哥大賽」

文物日誌

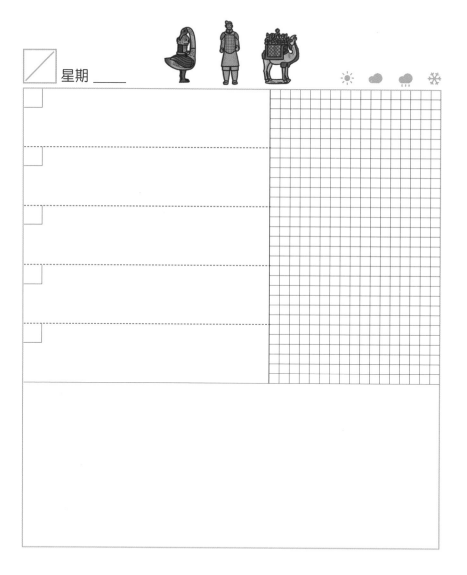

星期 ____

第二站

秦兵馬俑

個人檔案

姓　　名：秦兵馬俑

年　　齡：2000 多歲

血　　型：陶型

職　　業：陪葬品

出生日期：秦朝

出 生 地：陝西省西安市臨潼區

現居住地：陝西歷史博物館

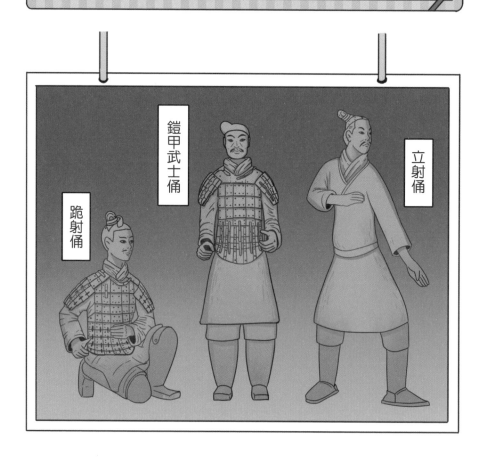

9月21日　星期五　　　　　　　　　　　　晴

　　今天是個特殊的日子，因為是文物界男子第一天團的見面會哦。做為《萬事通博物館報》特派記者的我也忍不住地 波濤洶湧！

作物 心潮澎湃

哇，帥呆了，氣場太強大！

世界第八大奇跡

可不是浪得虛名！

真

能談談你們的老闆嗎？

我們的老闆就是大名鼎鼎的**秦始皇**！

秦始皇是中國歷史上一位很偉大的皇帝，

也是第一個大一統皇朝——秦皇朝的開國皇帝。

這江山被我承包了！

統一文字

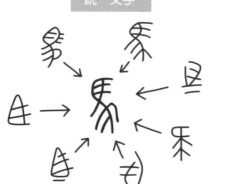

統一貨幣

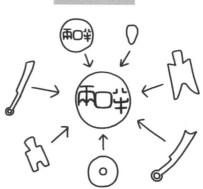

度

用來計量長短的器具稱為度。

量

測定計算容積的器皿稱為量。

衡

測量物體輕重的工具稱為衡。

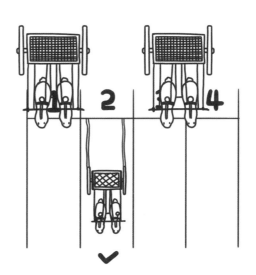

統一車軌

規定車輛上兩個輪子的距離一律改為六尺，使車輪的距離相同。全國各地的主要道路也統一了寬度。這樣，車輛往來就方便多了。

修築萬里長城

糟糕，過不去了。

恭喜玩家【嬴政】達成以下成就！

別小看這些哦，這些對於建立一個大一統的封建帝國來說，

太！重！要！了！

一樣的文字——可以交流

一樣的貨幣和度量衡——更容易做買賣

您的快遞請簽收！

秦通快遞

一樣的交通管理制度——方便車馬往來，也方便運輸。避免車馬因為行走在寬窄不同的道路上而發生「車禍」，提高了效率。

秦始皇統一了文字、度量衡、貨幣、車軌，這些都是意義深遠的好事。但是他還想統一人們的嘴巴，統一人們的腦子，不允許有人批評他、議論他，也不允許人們有各種各樣的想法。

於是他下令做了一件**可怕**的事情。

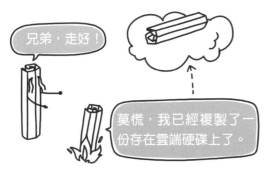

他採用了大臣李斯的建議，把除了醫藥、種植、占卜和法令等相關的其他所有書籍全部燒掉。

註：雲端硬碟是一種互聯網存儲工具。

又將那些批評議論過他的讀書人都抓起來，挖了個大坑把他們都活埋了。這就是歷史上著名的「焚書坑儒」。

春秋戰國時期諸子百家的許多經典著作就這樣永遠消失了；人們也都噤若寒蟬，不敢隨便發表意見，生怕丟了性命。

為甚麼秦始皇又要做這麼多兵馬俑呢？

秦始皇幻想着死了之後也有軍隊聽他號令，可以生生世世守衛他、保護他，生前那麼威風，死後也要一樣威風，所以他建了這麼龐大的一支陶俑軍隊。秦兵馬俑雖然是泥做的，他們可都是按照秦朝正式軍隊的模式建的。

我穿了鎧甲，是重裝步兵。

我沒有穿鎧甲，是輕裝步兵。

我是高級軍吏俑

我們是下級軍吏俑

兄弟，跪了這麼多年，膝蓋好酸！

兄弟，我拉弓這麼多年，手也好酸！

我是跪射俑

我是立射俑

好奇怪！
既然是軍隊，怎麼不見拿武器呢？

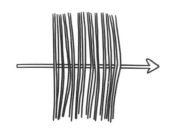

兵馬俑手中原本可都是拿着真刀真劍的。據專家推測，大部分兵器已被盜走。現存的部分兵器剛出土的時候，專家還做了一個實驗，用他們手中的武器，輕輕鬆鬆就戳破了 20 層報紙。因為考慮到安全問題，這些兵器被工作人員收了起來。

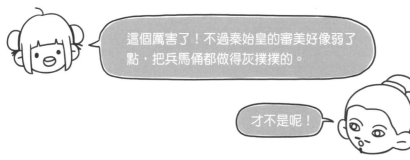

這個厲害了！不過秦始皇的審美好像弱了點，把兵馬俑都做得灰撲撲的。

才不是呢！

兵馬俑剛埋下去的時候是彩色的，但是經過了兩千多年的**掩埋**，色彩有些脫落；再經過地下水的**侵蝕**，出土時遇到空氣**氧化**，才呈現出灰色的模樣。

他們還有很多彩色的兄弟依然在地下沉睡，等待以後考古挖掘技術成熟了再挖掘出來。

你本來就很美

大長腿

單眼皮

秦朝人都是明星臉啊？

哈哈，別看我們身高有1米8、1米9，秦朝人實際身高才1米7左右呢！

小矮子，增高藥拿去！

秦式精雕單眼皮

超出你的想像美

秦朝美容整形醫院

單眼皮是秦朝的流行審美嗎？

至於單眼皮，據說是因為秦始皇自己就是單眼皮，所以把兵俑都塑成了單眼皮。

這麼多個兵俑得做多久啊？

是不是先做個模型，再一個個複製就好了呀？

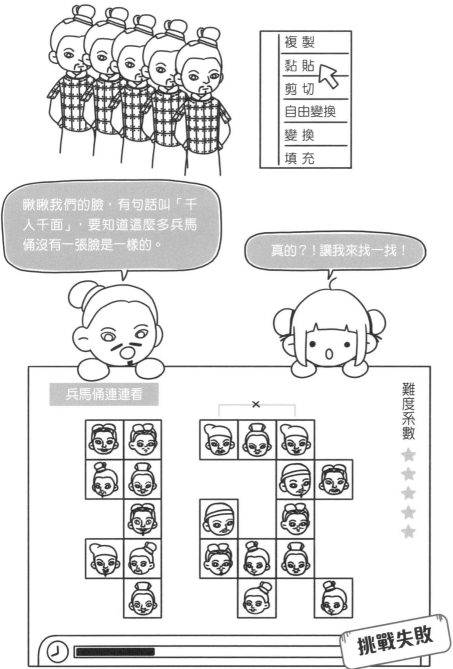

瞅瞅我們的臉，有句話叫「千人千面」，要知道這麼多兵馬俑沒有一張臉是一樣的。

真的？！讓我來找一找！

兵馬俑連連看

×

難度系數
★
★
★
★
★

挑戰失敗

小小博士

你知道震驚世界的第八大奇跡是怎麼發現的嗎？

1974 年的春天，陝西旱情嚴重，為了讓那些快渴死的莊稼能喝上水，臨潼縣西楊的村民楊志發和幾個小夥伴一起打井。年輕力壯的楊志發跳到井下挖土，一鎬頭砸下去，挖到了一個硬邦邦的東西，好像是個黑乎乎的陶土塊，他屏住呼吸再往下挖，竟然挖出了個真人一般大小的泥娃娃。井上幾個人看到運上來一個殘破的泥娃娃，都嚇得撒腿跑了。楊志發覺得這泥娃娃不簡單，於是就將俑頭和陶片裝了兩個架子車，拉到縣裏交給了縣文化館。館長看過之後，大喜過望，判斷這是重要的文物。秦始皇陵兵馬俑由此揭開了塵封 2200 多年的面紗。

1998 年，美國總統克林頓訪華，參觀了西安兵馬俑，還會見了這位世界歷史奇觀的發現者。

26

哈哈劇場

之

「春遊」

文物日誌.

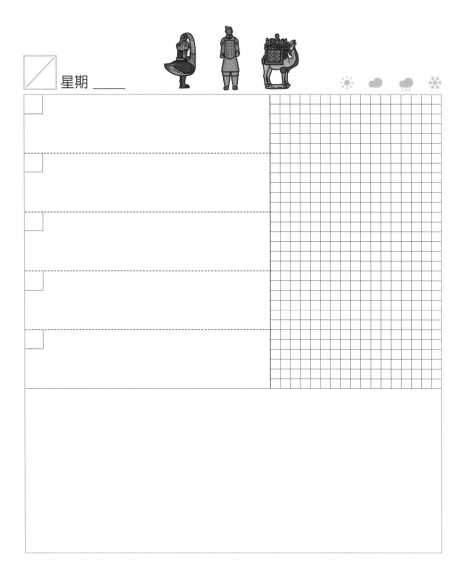

星期 ＿＿＿

第三站

鎏 金 舞 馬

銜 杯 紋 銀 壺

★ 個人檔案 ★

姓　　名：鎏金舞馬銜杯紋銀壺

年　　齡：1000 多歲

血　　型：金銀型

職　　業：盛水盛酒器

出生日期：唐朝

出 生 地：陝西省西安市南郊何家村

現居住地：陝西歷史博物館

我的造型是模仿北方遊牧民族使用的皮囊壺。

舞馬

身高：14.8cm

9月30日　星期日 晴

　　今天採訪的主角是個肚子大大的銀壺大叔，他誕生在唐朝，還目睹過大唐盛世呢。他的肚子上有兩匹對稱的馬，這馬據說來頭非常非常大，我得刨根究底，好好問問清楚。

這個銀壺大叔長得真是有意思，看着像個時尚的手袋。

熱賣

這個造型是模仿北方遊牧民族使用的皮囊壺。遊牧民族因為逐水草而居，又常年騎馬，一般都會使用動物皮縫製的皮囊來裝水、裝酒。一來攜帶方便，二來也不容易摔碎。

我又重又硬容易碎。

我又輕又軟隨便摔。

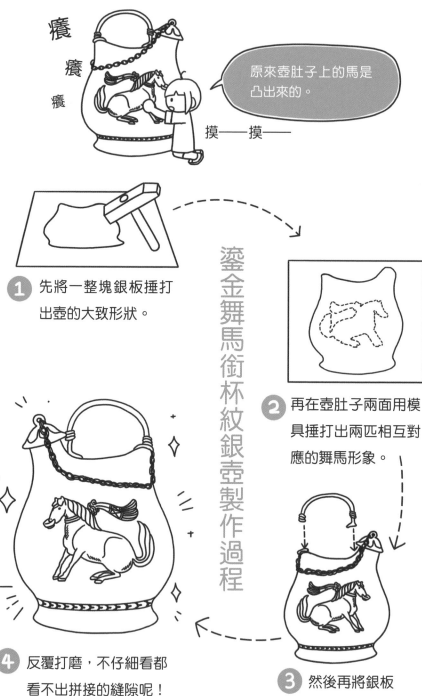

咦，這壺身上的馬有些奇怪，我看到絕大多數的馬不是在跑就是在跳，還從沒見過曲腿半蹲、嘴裏還銜了一個杯子的馬呢？

回答這個問題前 **先考考你！**

你知道馬主要是做甚麼用的嗎？

打仗

運輸工具

交通工具

耍帥？

全對！

　　不過在唐代還有種舞馬。牠們是經過特殊訓練的，音樂一響便會隨着樂曲表演舞蹈，當時的王公貴族非常喜歡。

跳舞的馬！！

　　唐玄宗時，宮中養了好幾百匹舞馬，玄宗經常觀看舞馬表演並親自訓練。唐玄宗天寶年間，每逢「千秋節」——玄宗生日，皇宮裏都要舉行盛大的慶祝活動，舞馬都會披金戴銀，繫上綢帶，翩翩起舞。一曲結束之後，還會銜起地上盛滿酒的酒杯到玄宗面前祝壽呢。

朕決定了！朕要封你做大唐舞團的團長！

哇！這馬智商也太高了吧！還有這馴馬師也夠厲害呀，擱現在這都應該是非物質文化遺產了！

非遺 F4

剪紙王　　泥人張　　風箏魏　　舞馬劉

唐朝文人也留下了許多有關舞馬的詩詞，

都是對當時**舞馬銜杯祝壽**情景的真實再現。

屈膝銜杯赴節，
傾心獻壽無疆。

更有銜杯終宴曲，
垂頭掉尾醉如泥。

爛醉如泥？

看不出來，舞馬還是個大酒鬼。

老兄，你這算酒駕！

可惜啊，

出盡風頭的舞馬最終結局卻很可憐。

這當然也和大唐的那位多情皇帝有關。一開始唐玄宗李隆基跟他的先祖唐太宗李世民一樣，是位精明能幹、有宏圖大志的皇帝。

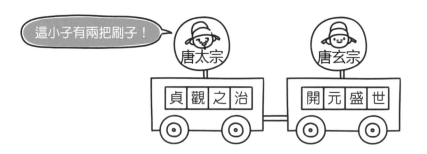

這小子有兩把刷子！

唐太宗　貞觀之治

唐玄宗　開元盛世

在他的治理下，國家政局穩定，經濟繁榮，文化昌盛，國力富強，一路「開掛」進入全盛時期，成為當時世界上最強大的國家，歷史上稱為

「開元盛世」。

但是到了五十多歲，唐玄宗愛上了一個大美女，她就是位列中國四大美女之一的**楊玉環**。

唐玄宗非常寵愛楊玉環，連帶她的哥哥楊國忠也一併重用，封他當了大官。

我有一個好妹妹！妹妹！

但楊國忠不是個好官，他做了很多壞事，而此時的唐玄宗沉迷美色，貪圖享樂，不思國事。大唐猶如從一輛豪華的越野車衰落為了一輛破破爛爛的小三輪。

全力加速！衝衝衝！

N年後

愛妃，朕帶你去兜風！

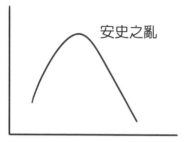

安史之亂

後來唐玄宗的寵臣安祿山和史思明叛亂，史稱

「安史之亂」。

這是大唐由盛而衰的轉折點。

戰爭爆發後，唐玄宗向西南逃跑，皇宮裏的舞馬也散落民間。

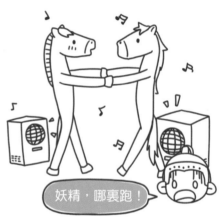

妖精，哪裏跑！

後來，一些舞馬被安祿山的部下田承嗣得到。有一天，軍中有宴會，奏響了樂曲，舞馬聽到樂曲聲應節拍起舞，士兵大為吃驚，以為是妖馬，就將牠們用鞭子活活抽死了。

一首《涼涼》送給舞馬。

安史之亂以後，「舞馬」
技藝逐漸失傳，僅僅以文字
形式流傳於世。

直到鎏金舞馬銜杯紋銀壺被發現後，

才印證了史料文獻上所記載的舞馬一事屬實，

成為能證明唐玄宗生日宴會上舞馬銜杯祝壽的實物資料。

這也是唐代中原漢族與北方遊牧民族文化交流的物證。

小小博士

我們知道鎏金舞馬銜杯紋銀壺是用銀子打造的，但是壺肚子上的馬是金燦燦的，這部分是金子打造的嗎？

這其實是鎏金的工藝，也就是將金和水銀合成金汞劑，塗在銀器表面，然後加熱使水銀蒸發，金就附着在器面不會脫落了。

大唐鎏金研究所

哈哈劇場

之

「意外」

文物日誌

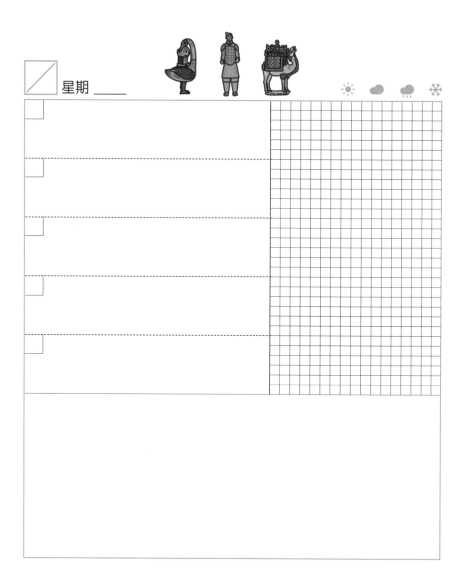

星期 ____

第四站

三 彩 載 樂

駱 駝 俑

★ 個人檔案 ★

姓　　名	三彩載樂駱駝俑
年　　齡	1000 多歲
血　　型	陶型
職　　業	擺件
出生日期	唐朝
出 生 地	陝西省西安市西郊中堡村
現居住地	陝西歷史博物館

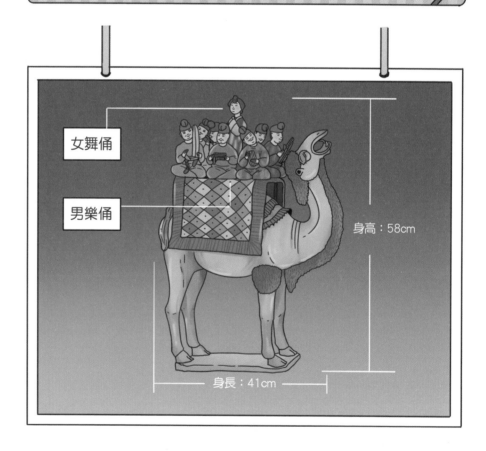

女舞俑

男樂俑

身高：58cm

身長：41cm

10月5日　星期五　　　　　　　　　　　　　　　多雲

空兩格 今天要帶大家去見個唐朝的大樂隊，這個樂隊由七名男樂師和一位女歌手組成。我稱他們為「駱駝背上的音樂家」。你們是不是很好奇，想見見這些與眾不同的唐代大明星？那快跟我一起去吧！

悠揚的音樂聲 ♪

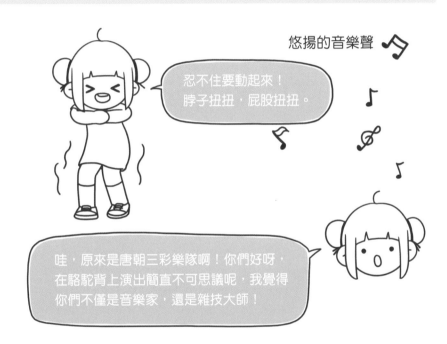

忍不住要動起來！
脖子扭扭，屁股扭扭。

哇，原來是唐朝三彩樂隊啊！你們好呀，在駱駝背上演出簡直不可思議呢，我覺得你們不僅是音樂家，還是雜技大師！

哈哈，我們在駱駝背上架了台子，還鋪了毯子，他們朝外盤腿坐着很穩當，我站在中間唱歌也很安全。

這地毯看着不像國貨呀！

小小年紀眼光倒不錯，這是經絲綢之路從西域運來的毛毯。

絲綢之路？ 用絲綢鋪的路嗎？

不！是！的！

絲綢之路是古代連接東西方的著名貿易要道。最開始是由漢武帝派張騫出使西域開闢的一條陸上通道。

漢武帝時期，漢朝的國力開始強盛，但是北方的匈奴動不動就跑來搗亂，漢朝每次都是通過送他們大量金銀財寶等禮物或者把公主嫁給匈奴單于來緩和矛盾。

我不要和親！

匈奴單于

漢武帝覺得很窩火，不想一直這樣忍氣吞聲下去，於是派張騫去聯繫匈奴周邊的那些國家，希望能聯合他們一同抗擊匈奴。

本皇很生氣，
後果很嚴重！

→ 張騫

世界上本沒有路，走的人多了，也便成了路。

張騫從長安出發，幾經波折，途經甘肅、新疆，最後到達中亞、西亞，甚至地中海各國。終於將亞歐大陸天各一方的這些國家全部聯繫起來了。雖然西域國家不敢攻擊匈奴，但張騫開拓的道路為漢朝擊敗匈奴起到了非常關鍵的作用。

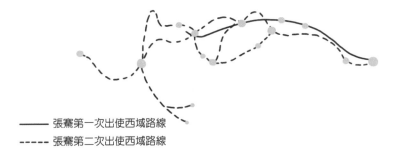

—— 張騫第一次出使西域路線
----- 張騫第二次出使西域路線

因為絲綢是這條商道上最具代表性的商品，

所以這條商道被後人稱作絲綢之路。

那後來漢武帝打敗匈奴了嗎？

　　漢武帝是個有雄心壯志的皇帝，他屯兵養馬，待到兵強馬壯就開始主動出擊。

李廣　　衞青　　霍去病

　　漢朝有幾位非常著名的將領，一位大將叫李廣，他射箭的本領高超，百發百中，匈奴人一聽他的名字就落荒而逃，把他稱為「飛將軍」。還有一位叫衞青，也非常驍勇善戰；他的外甥霍去病，更是少年英雄，屢屢打敗匈奴。

我一定會回來的！

慢走！不送！

這些將領帶領士兵英勇搏殺，漢朝的國土不斷擴大。匈奴節節敗退，只好逃到更遠的西北方去，再也沒有還手之力。

到了唐朝，強盛的國力和兼容並包的政策，吸引了來自世界各地的人。每年有數以萬計的**外國客人**取道絲綢之路前來長安，定居中國的也數不勝數。

他們帶來了各地的奇珍異寶和各種好吃好喝好玩的東西，比如西瓜、無花果、菠菜等水果蔬菜，帶有民族特色的服裝、毛織品、樂器等。

而大唐的茶葉、絲綢、瓷器等貨物以及冶鐵、鑿井等技術也通過絲綢之路傳到了西亞和歐洲。

絲綢之路的繁盛使大唐都城——長安成為各國商人、使者、留學生、僧侶、傳教士、旅遊者紛至沓來的聖地。

我們學習胡人的音樂舞蹈，他們學習我們的禮儀文化，現在我們演奏的很多樂器都是那時從西域地區傳來的。

這些異域的**音樂**和**舞蹈**，很受當時人們的喜愛。

長安還有很多胡人樂師、歌女以及胡人開的酒樓呢！

五陵年少金市東，銀鞍白馬度春風。落花踏盡遊何處，笑入胡姬酒肆中。

胡姬：賣酒的胡人女子

酒肆：酒樓

為甚麼叫唐三彩呢？
是因為只有三種顏色嗎？

因為這種陶瓷在唐朝時盛行，所以冠了「唐」這個姓，至於三彩，可不是因為只有三種顏色。

你數數我們身上有幾種顏色？

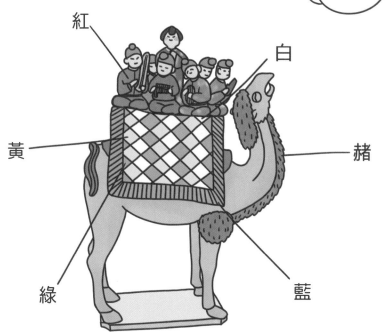

紅

白

黃

赭

綠

藍

確實不止三種啊，那為甚麼叫三彩，應該叫唐多彩才對！

原來如此！

因為主要是以黃、綠、赭三色為基色，所以人們習慣稱之為

「唐三彩」。

三彩姐姐的衣服真漂亮，髮型也好別致。

高束腰的長裙 、倭墜髻 ，

這可是**盛唐時期**最時髦的裝扮哦！

大唐美髮沙龍

這個、這個、這個！

歡迎光臨！請問您要做哪個髮型？

大唐洗剪吹價目表

◎299 盛唐風光

◎99 初唐印象

◎199 晚唐韻律

太漂亮了！

三彩姐姐，給你提個小小建議啊，作為唐朝的大明星，你有一點兒胖，這樣上鏡不好看的。

哈哈哈，我們大唐女子向來以胖為美。我們的胖可不是肥，是豐滿，是健碩，我覺得自己健康自信的樣子就很美！

自帶　　　　　　光環

給你一個 讚！

小小博士

唐代女子在髮型上有很多創新。初唐的時候，以上梳髮型為主，表現出一種積極向上的健康美；盛唐時期，有上梳也有平梳髮型，展現出一種厚重平實的成熟美；中晚唐時期流行下梳髮型，讓人似乎體會到一種散漫自在的感覺。

初唐

〔半翻髻〕　　〔驚鵠髻〕　　〔初唐式高髻〕　　〔反綰髻〕　　〔觀環望仙髻〕

盛唐

〔盛唐式高髻〕　〔倭墜髻〕　　〔球形髻〕　　〔扁形髻〕

中晚唐

〔叢髻〕　　　〔墜馬髻〕　〔中晚唐式高髻〕〔鬧掃妝髻〕

哈哈劇場

之

「握手」

▼ 文物日誌 ▼

星期 ＿＿＿

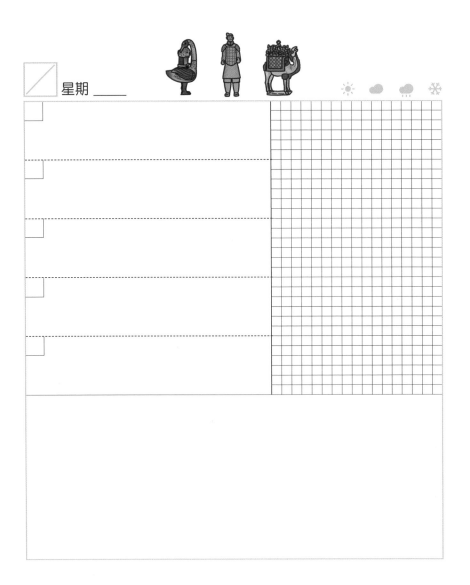

第五站

杜虎符

★ 個人檔案 ★

姓　　名：杜虎符

年　　齡：2000多歲

血　　型：銅金混合型

職　　業：兵符

出生日期：戰國

出 生 地：陝西省西安市北沈家橋村

現居住地：陝西歷史博物館

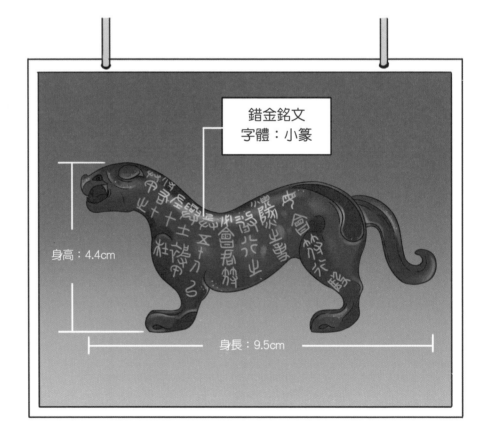

錯金銘文
字體：小篆

身高：4.4cm

身長：9.5cm

10月5日　星期五　　　　　　　　　晴

　　大腦斧你們一定見過不少吧，不過身上有金色花紋的

腦斧你們肯定沒見過吧？而且牠威力還不小，連軍隊都要聽

牠指揮呢！

杜虎符跟尋常的老虎可不一樣，
它是古代皇帝**調兵遣將**用的兵符。

左左交給 將帥，右右交給 皇帝。

只有左右虎符同時合併使用，

拿着它的人才擁有調兵遣將的權利。

兵符為甚麼要做成老虎的樣子呢？我覺得同樣是貓科動物，小貓咪就比虎兄你可愛多了。

哼，我可是百獸之王，叢林爭鬥中的王者！古人覺得老虎驍勇善戰，因此在軍事上以虎為尊，將兵符做成老虎的形狀。

你會打仗嗎？

我會賣萌！

到了漢朝還使用銅虎符，唐初開始用<u>銀兔符</u>，後來又改用<u>魚符</u>。因為唐高祖李淵的爺爺叫李虎，這個「虎」字就不能隨便亂用，也就不再使用虎符了。

魚符可以調動軍隊或者任免官員，

漸漸演變成一種權力身份的象徵。

那些當官的把魚符繫在腰間，算是官員特有的「身份證」，普通老百姓就只能乾瞪眼看看了，是沒有資格繫的。

女皇帝武則天統治的時候
改用龜符，還按官品高低分為
金龜、銀龜、銅龜。

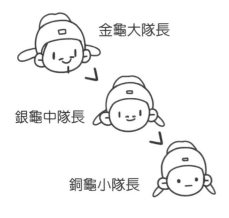

金龜大隊長

銀龜中隊長

銅龜小隊長

唐代有個大詩人叫李商隱，
他有首詩中寫道「無端嫁得金龜
婿」，這就是金龜婿的由來了。

虎兄，你身上的花紋好別致啊！

這可不是花紋！這是**錯金**銘文。

錯金是我們國家一種特殊的傳統工藝，用金絲在器物的表面上鑲嵌出花紋或文字。

金絲

杜虎符身上用金絲鑲嵌的文字，有 9 行，共 40 字。

我來唸唸！
呃，不好意思，
一個都不認識。

文盲的痛

這是秦人書寫的小篆，你當然不認識了。

從銘文中我們可以看出來秦是以「右」為尊，而且秦國的軍權高度集中，

皇帝

將軍

士兵

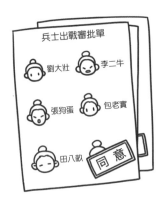

兵士出戰審批單

劉大壯　李二牛

張狗蛋　包老實

田八畝　同意

徵調 50 人以上的兵士就必須經過國君的認可了。

君主的右半邊虎符成精逃跑了！

你們到底要怎樣才能去打仗！

只有一半，我們不幹！

但也有例外的時候，如果情況特別緊急，

一旦遇上**烽火報警**這樣的情況，就不必跟君王的右符相合了。

不管了，馬上行動！

左右兩塊兵符的形狀、銘文都是相同的，兩半虎符的背面各有榫卯，需把它們一一對應，就好像一把鑰匙開一把鎖一樣，只有同為一組的虎符才能合在一起，這就是「符合」二字的由來。

> 我們是分不開的好朋友！

> 我們也是！

看來對於古代帝王來說，
虎符真的是太**太太**重要了呀！

> 哎呀呀，你幹嗎！

> 虎兄你太重要了，不適合到處跑，還是我這樣抱着比較安全。

放！我！下！來！

小小博士

（小朋友聽過信陵君「竊符救趙」的故事嗎？）

：竊符是說偷竊虎符嗎？

：對！戰國時，秦國派兵圍攻趙國的都城邯鄲。趙國危在旦夕，求救於魏國。信陵君以脣亡齒寒的道理勸說魏王出兵救趙，但是魏王懼怕秦國，一直猶豫不決。無奈之下，信陵君只好請求魏王的寵妃從魏王那裏偷出了虎符，從而調兵遣將，打敗了秦軍，不但解救了趙國的危難，也保衛了魏國的安全。信陵君以國家利益為重、個人生死榮辱為輕的優良品德也一直被人們稱頌。

哈哈劇場

之「一起玩」

文物日誌

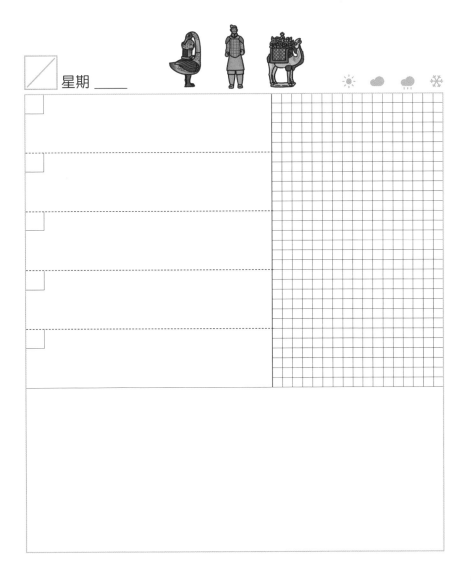

星期 _____

☀ ☁ ☁ ❄

第六站

鑲金獸首瑪瑙杯

★ 個人檔案 ★

姓　　名：鑲金獸首瑪瑙杯

年　　齡：1000多歲

血　　型：金玉混合型

職　　業：酒器

出生日期：唐朝

出生地：陝西省西安市南郊何家村

現居住地：陝西歷史博物館

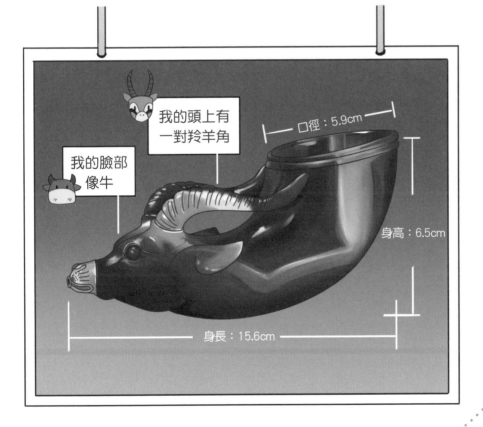

我的頭上有一對羚羊角

我的臉部像牛

口徑：5.9cm

身高：6.5cm

身長：15.6cm

10月14日　星期日　　　　　　　　騙　晴

　　注意注意，前方出現怪獸！哈哈，我可沒有片你們哦，今天我們要去見的是個像牛又像羊的怪獸大哥。聽說這個大哥還是個混血兒，我現在滿肚子都是問號呢！

牛大哥喲，羊大哥喂！

你到底在叫誰，還是在唱山歌？

叫您呀！您看着像牛吧，可您腦袋上頂着一對羚羊角，所以都不知道該叫您牛大哥還是羊大哥了！

區區在下，

江湖人稱：**獸兄**。

獸兄的身體是石頭的還是玻璃的啊？摸着涼絲絲的、滑溜溜的，上面還有深深淺淺的紋路。

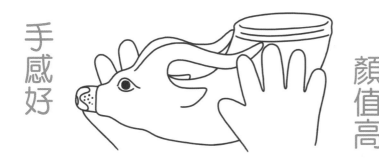

手感好

顏值高

這是五彩纏絲瑪瑙，是很貴很稀罕的寶貝，鑲金獸首瑪瑙杯可是至今所見

唐代唯一的一件俏色玉雕。

甚麼叫「俏色玉雕」啊？

這可是高含金量的技術活，工匠們利用玉石本來的顏色、紋理與形狀進行雕刻。「俏色玉雕」不但需要精湛的**手藝**，還要有極其巧妙的**創意**。

不好意思，我媽媽說我們這一行動手不動口。

老兄，君子動口不動手啊。

您的樣子也很稀罕,看着像個可以吹的號角。

古時候軍隊中使用的號角就是用獸角做成的,鑲金獸首瑪瑙杯的樣子也是模仿獸角的形狀。

不過他是個酒杯,拿來喝酒的。

啥?

用五彩纏絲瑪瑙做個杯子來喝酒?!唐朝人可真會玩!

快給我來杯飲料

壓壓驚!

錯了錯了，不是這麼喝的！看到我金色的嘴巴了嗎？

哇，獸兄您身上值錢的寶貝可真多啊！

這個金子做的嘴巴其實是杯子的塞子。取下塞子，

酒可以從瑪瑙杯的嘴巴裏流出，這才是**正確的喝法**。

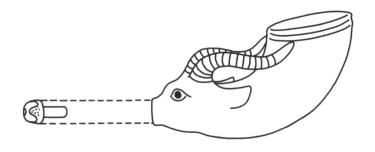

真是大開眼界啊！

這種酒杯和喝酒方式還真是頭一回見到！

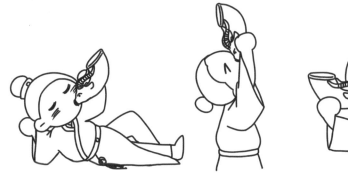

【唐朝花式喝酒】了解一下。

這種獸角杯的造型是受到西域一種叫「來通」的酒具的影響。這種造型的酒具在中亞、西亞，特別是波斯（就是如今的伊朗）是很常見的。

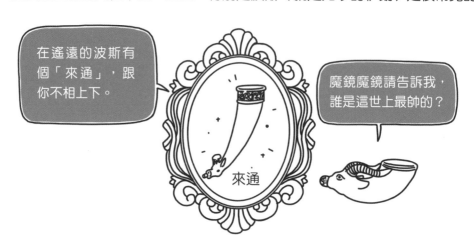

在遙遠的波斯有個「來通」，跟你不相上下。

來通

魔鏡魔鏡請告訴我，誰是這世上最帥的？

當時大唐王朝與西域的文化、商貿交流十分密切，首都長安城內居住着眾多的胡人。唐朝的有錢人崇尚胡風，喜歡模仿胡人的宴飲方式。而這隻酒杯就是各族人民頻繁交流的見證。

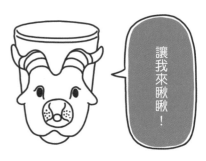

讓我來瞅瞅！

1　乾杯！

2　喝　喝

3　好吃

這麼高大上的杯子得配甚麼酒啊？

話說這樣具有「洋」血統的酒杯，
自然就得有「洋」酒相配。

唐朝時洋酒相當流行，尤其是 **葡萄酒**。

詩興大發　　葡萄美酒夜光杯。

有了洋酒，還要有賣酒與喝酒的場所——古代的洋酒吧，
也就是胡人開的酒館了，像李白這樣的「酒仙」絕對是洋酒吧
裏的 vvvvvvip 級別的客戶了。

李白專座

哇,還有「洋酒吧」呀?大唐的長安城真是個神奇的地方。

的確!

長安城是座了不起的超級大都市,
像日本的京都就是仿效長安城來建的呢。

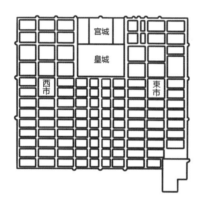

長安城四周有堅固的圍牆,城內規劃得像棋盤一樣,分割成108個格子,每個格子就是一個

「坊」

,每個坊都用土牆圍起來,有點類似我們現在的小區。

大多數坊的四面都開有一門,方便裏面的居民進出,而且有嚴格的紀律。每天清晨,專職門吏準時打開坊門,天黑後關閉坊門,關門之後就不能隨意出入了。還有專門人員敲鼓提醒居民關門開門,晚上也有安全巡邏,類似於小區保安啦。

關門咯!關門咯!

坊區保安

城市的東區和西區各有一個<u>超級大市場</u>，

稱為**東市**和**西市**，

我們常說的買「東西」，就是源自於此了。

東市主要服務於達官貴人，主打高檔奢華品。

西市主要服務於廣大老百姓，除了有店面的商鋪，還有許多流動的小商販，主要以販賣生活用品為主。集市裏熙熙攘攘，別提多熱鬧了。

西市有四條縱橫交錯的街道，交叉形成一個「井」字，

所謂的「**市井文化**」就是從這裏演變而來的。

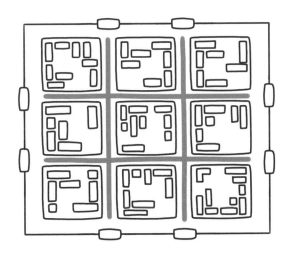

西市裏頭還設有

平準署
管理貨物的定價 = 現代物價局

櫃房
可以存錢 = 現代銀行

飛錢
外幣兌換 = 銀行國際匯兌業務

因為西市距離絲綢之路的起點開遠門較近，周邊一帶住了很多外國商人，所以西市也算是一個**國際性**的貿易市場了。西市中還有很多外國商人開設的商鋪，像珠寶店、皮毛店、服裝店等等，當然也包括洋酒吧啦。

小小博士

　　中國玉石雕刻歷史悠久，獨具匠心的俏色玉雕工藝也源遠流長。在台北故宮博物院有件非常著名的鎮館之寶——翠玉白菜，它就是一件精美的俏色玉雕。這件寶貝看着跟真的白菜一模一樣，是由一塊一半灰白、一半翠綠的玉石雕刻而成。工匠把綠色的部位雕成菜葉，灰白的部位雕成菜幫，菜葉上頭還有兩隻小蟲，一隻是蚱蜢，一隻是蟈蟈，寓意多子多孫。翠玉白菜原本放在紫禁城的永和宮裏，因永和宮是清代光緒皇帝的妃子瑾妃的寢宮，所以有人猜測這翠玉白菜有可能就是瑾妃的陪嫁之物。

翠玉
白菜

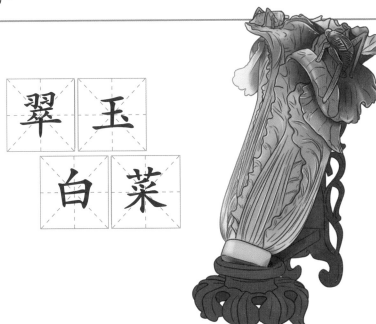

哈哈劇場

之「猜猜我是誰」

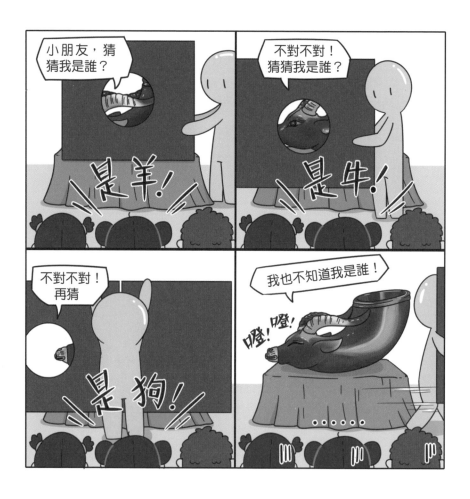

文物日誌

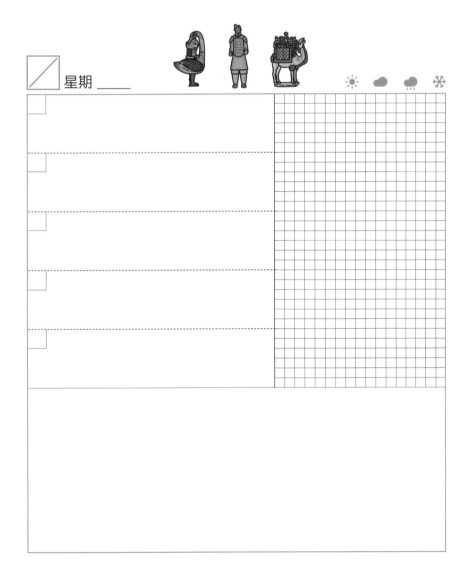

星期 ____

第七站

紅陶尖底瓶

個人檔案

姓　　名： 紅陶尖底瓶

年　　齡： 6000 多歲

血　　型： 陶型

職　　業： 取水器

出生日期： 新石器時代

出 生 地： 陝西省西安市臨潼區

現居住地： 陝西歷史博物館

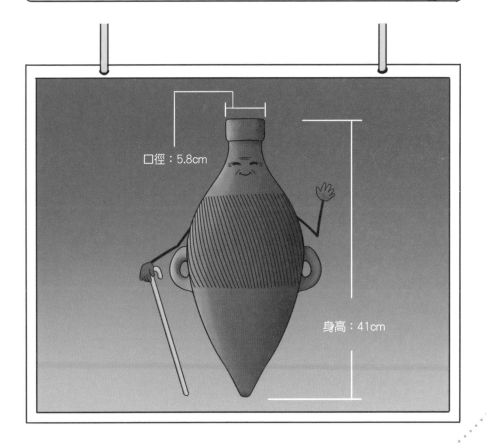

口徑：5.8cm

身高：41cm

10月27日　星期六　　　　　　　　　　晴

今天要去見一個奇怪的老奶奶，她的皮膚紅紅的，腦蛋袋小小的，小腳尖尖的，肚子大大的。她是原始人的好朋友，也是他們的居家必須神器！

備

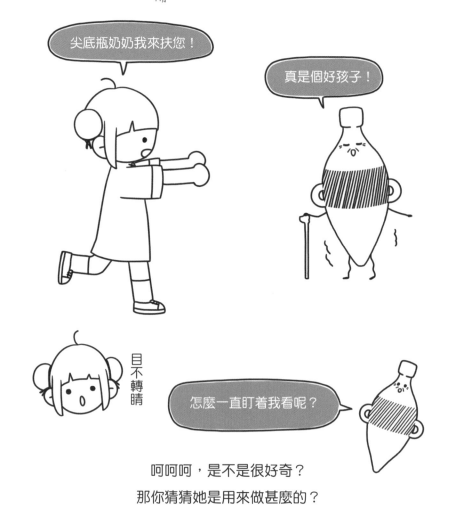

底部這麼尖，站都站不穩。

瓶口又這麼小，東西也塞不進。

啊啊啊，擠不進去。

即便裝進去也很難拿出來。

哎呀，痛死我了！

除非⋯⋯除非是液體！

真是聰明，我就是用來裝水的！

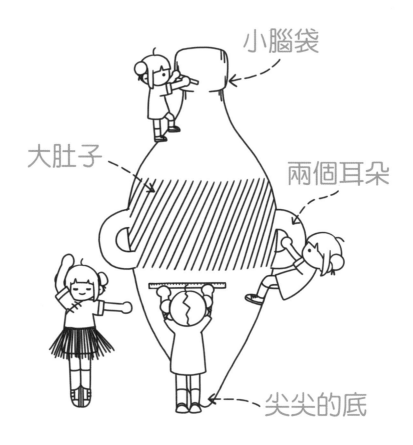

小腦袋

大肚子

兩個耳朵

尖尖的底

肚子大，能多裝些水；**腦袋小**，水裝滿後才不容易溢出；
兩個**小耳朵**是用來繫繩子的，穿繩後方便背挎或者手提。

可是底部為甚麼是尖尖的呢？

因為古人要去河裏取水，當尖底接觸水面時瓶身便會自然倒下，水注滿後則又自動立起，這種奇妙現象，恰恰是物理學中**重心原理**和**定傾中心法則**的最早運用。

注水前　　　　注水中　　　　注水後

我這麼聰明原來是基因好！

IQ 200

尖底瓶是**仰韶文化**中典型的器物之一，也是**半坡人**最常用的汲水器。

半坡人？因為他們住在半山坡上嗎？

因為他們的生活遺址是在陝西西安的半坡村挖掘發現的，所以把他們稱為半坡人。

半坡遺址是黃河流域非常典型的原始社會

母系氏族公社的村落遺址。

距離現在有 6000 多年嘍！

那仰韶文化又是甚麼呢？

仰韶文化是黃河中游地區一種重要的新石器時代彩陶文化。因為是在河南省澠池縣仰韶村最早發現的，依照考古慣例，就稱之為

仰韶文化。

咦？這裏叫仰韶村，那我們叫仰韶文化吧！

仰韶村

新石器？莫非還有舊石器嗎？

哈哈，還真讓你說對了！

我們通常把史前時代分為舊石器時代和新石器時代。原始社會時期，因為受到自然條件的極大限制，人類一般就從附近的河灘上或者山上揀些石塊，打製成合適的工具。

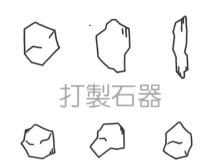

打製石器

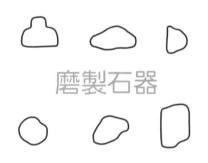

磨製石器

但隨着生活環境的變遷和生產經驗的積累，打製石器已經不能滿足人類生產生活的需要了，所以人類開始打磨加工石器，使之更適合於生產，用起來也更順手。

所以說，

舊石器時代人類使用「打製石器」，新石器時代人類使用「磨製石器」。

我有稜有角。

我圓潤美麗。

孺子可教也！

91

真是好奇，距我們 6000 多年前的半坡人是怎麼在這片土地上生活的呢？

半坡人已經建立了村落，不用四處漂泊，過上了比較穩定的定居生活。

好山好水好風光啊！

原來，原始人已經過上了爺爺理想的退休生活了。

他們在村落的周圍修建起<u>水溝</u>，用來防止野獸侵害。

你會游泳嗎？

不會，你呢？

我也不會。

好吧，那我們回去吧。

他們種植莊稼，用磨光的石器開墾土地，用石刀進行收割，主要的糧食是**粟**。粟就是小米。粟不僅養育了6000年前的先民，而且至今仍是中國北方種植的重要糧食作物。

我耐旱易種，方便存儲。人稱糧食界的無敵小駱駝！

他們用石矛、石球、弓箭打獵；用漁網、魚鉤、魚叉捕魚。

我戳　　　　我彈　　　　我射

打獵三式

捕魚三式

我投　　　　　　　我叉

我釣

他們將野豬馴化飼養起來，小狗也逐漸成為他們的好朋友。

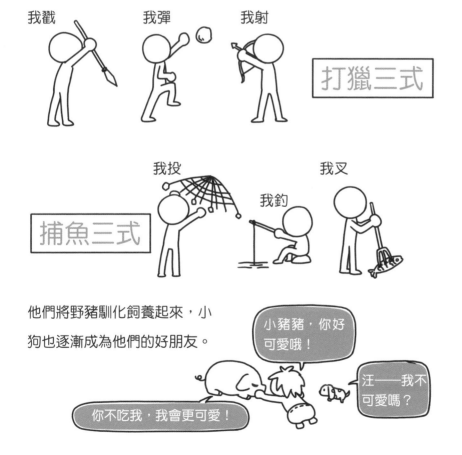

小豬豬，你好可愛哦！

汪——我不可愛嗎？

你不吃我，我會更可愛！

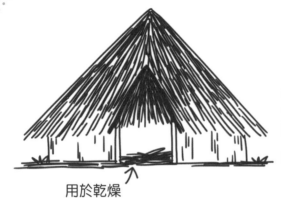

用於乾燥

半坡人住在一種**半地穴式**的房屋裏面，有方形的，也有圓形的，地上鋪着茅草、皮毛。

村子的中間有個大屋子，住着最受尊重的「老祖母」，四周都是圍着它的小屋子。屋子裏面都埋有一兩個肚子很大的陶罐，類似於我們現在的灶頭，裏面存儲着火種。

孩兒們，到太奶奶這兒來，太奶奶給糖吃。

來啦！

太奶奶！

騙人，那個時代哪裏有糖……

小小博士

　　中國的彩陶文化歷史悠久，半坡彩陶是中國彩陶裏很有特點的一支。

　　這個時候的陶器大多是紅色的，半坡人在陶坯的內外壁上用含鐵量較高的一種礦物質顏料畫出各種花紋圖案，燒製後呈現出黑色圖紋。圖案內容主要是當時半坡居民接觸到的動物，有奔跑的鹿、蛙、鳥、豬、魚等，尤其是魚紋，特別生動精美。專家推測，魚紋的頻繁出現一方面反映了捕魚在當時的經濟生活中佔有很重要的地位，另一方面由於早期人類壽命很短，人口面臨着巨大的壓力，他們期望能像魚一樣，子孫綿延，代代繁衍下去。

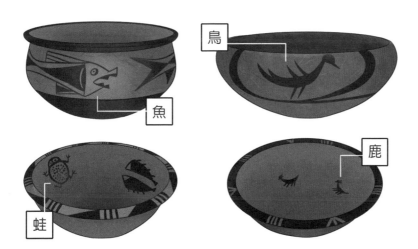

鳥

魚

蛙

鹿

哈哈劇場
之「潛水」

文物日誌

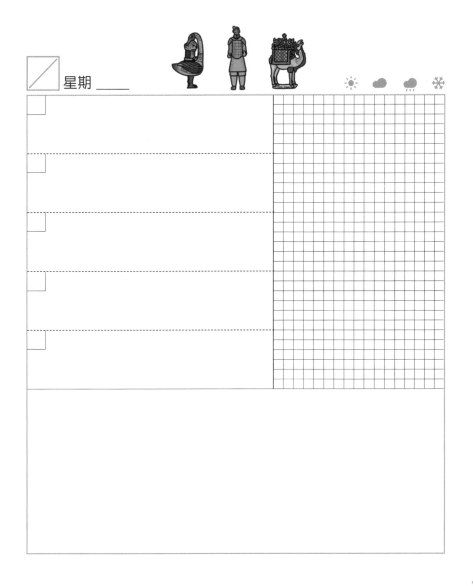

星期 ＿＿＿

☀ ☁ ☂ ❄

博物館
通關小列車

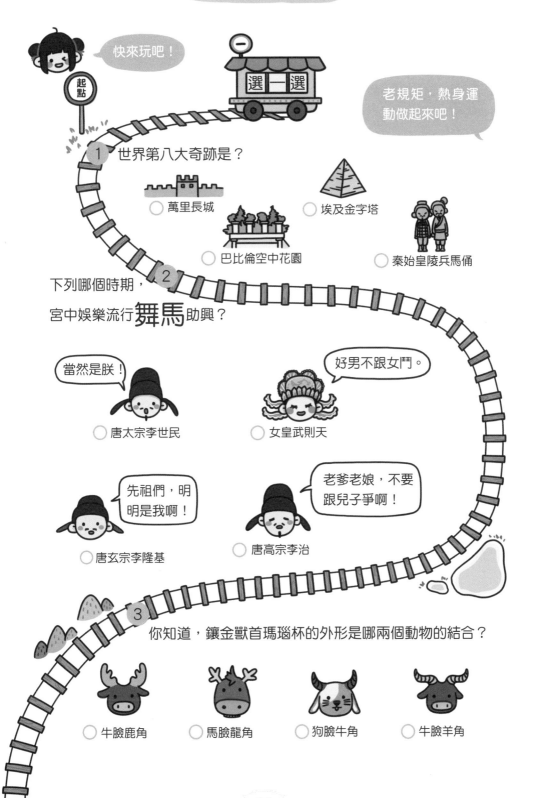

博物館通關小列車

快來玩吧!

選一選

老規矩,熱身運動做起來吧!

1 世界第八大奇跡是?

○ 萬里長城　　○ 埃及金字塔

○ 巴比倫空中花園　　○ 秦始皇陵兵馬俑

2 下列哪個時期,宮中娛樂流行**舞馬**助興?

當然是朕!

好男不跟女鬥。

○ 唐太宗李世民　　○ 女皇武則天

先祖們,明明是我啊!

老爹老娘,不要跟兒子爭啊!

○ 唐玄宗李隆基　　○ 唐高宗李治

3 你知道,鑲金獸首瑪瑙杯的外形是哪兩個動物的結合?

○ 牛臉鹿角　　○ 馬臉龍角　　○ 狗臉牛角　　○ 牛臉羊角

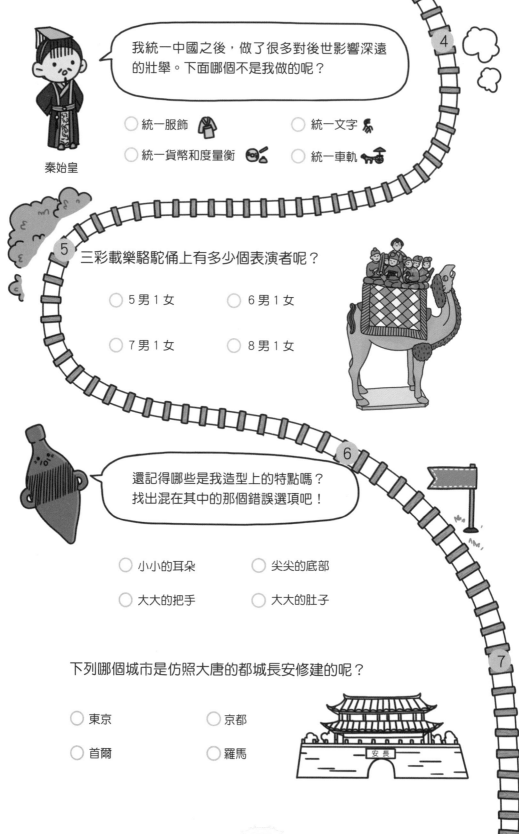

我統一中國之後，做了很多對後世影響深遠的壯舉。下面哪個不是我做的呢？

○ 統一服飾　○ 統一文字

○ 統一貨幣和度量衡　○ 統一車軌

秦始皇

三彩載樂駱駝俑上有多少個表演者呢？

○ 5男1女　○ 6男1女

○ 7男1女　○ 8男1女

還記得哪些是我造型上的特點嗎？
找出混在其中的那個錯誤選項吧！

○ 小小的耳朵　○ 尖尖的底部

○ 大大的把手　○ 大大的肚子

下列哪個城市是仿照大唐的都城長安修建的呢？

○ 東京　○ 京都

○ 首爾　○ 羅馬

安長

我們祖孫倆分別開創了哪兩個盛世呢？

唐太宗

○ 開元盛世，貞觀之治

○ 貞觀之治，開元盛世

唐玄宗

○ 開元盛世，太宗之治

○ 太宗盛世，開元之治

歡迎進入第二車廂！這些混淆視聽的錯誤你能一把抓出來嗎？請用筆打上「✓」或「✗」吧！

填一填

1 絲綢之路是古代連接東西方的著名貿易通道，是唐玄宗派張騫出使西域開闢的。

2 虎符是古代調兵遣將用的兵符，左半塊虎符由皇帝保管，右半塊虎符由將帥保管，只有左右虎符同時合併使用，拿著虎符的人才擁有調兵遣將的權力。

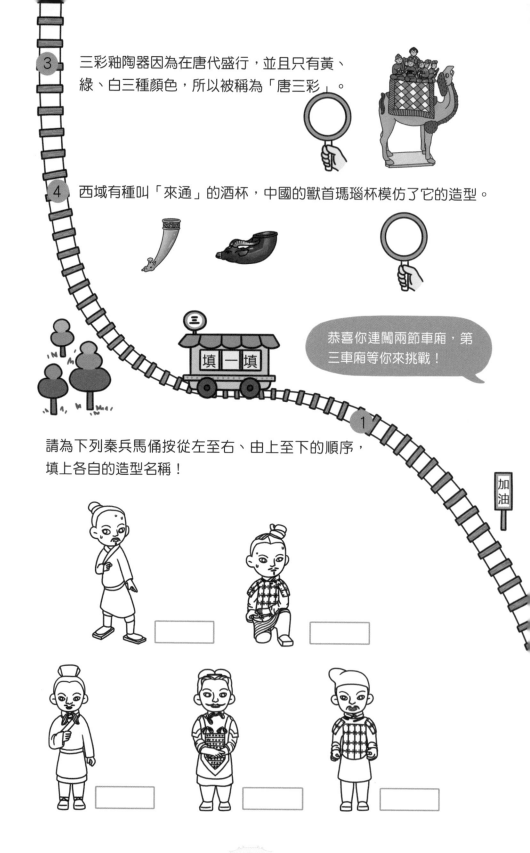

3 三彩釉陶器因為在唐代盛行，並且只有黃、綠、白三種顏色，所以被稱為「唐三彩」。

4 西域有種叫「來通」的酒杯，中國的獸首瑪瑙杯模仿了它的造型。

填一填

恭喜你連闖兩節車廂，第三車廂等你來挑戰！

加油

1 請為下列秦兵馬俑按從左至右、由上至下的順序，填上各自的造型名稱！

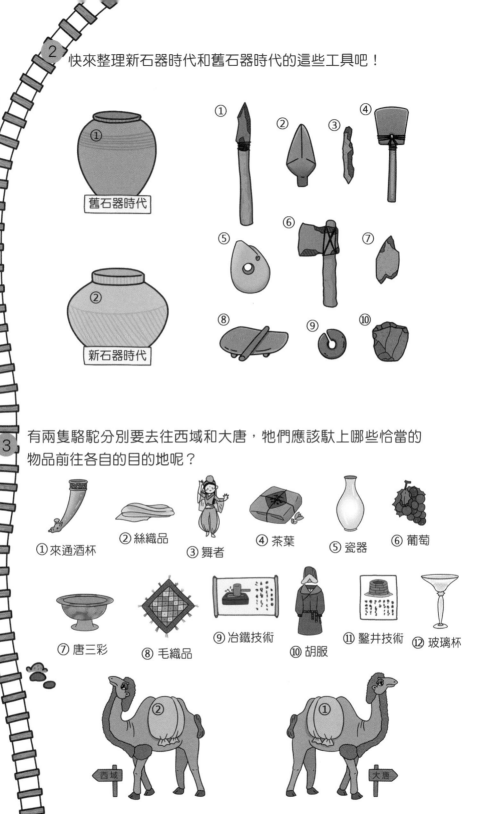

2 快來整理新石器時代和舊石器時代的這些工具吧！

① 舊石器時代

② 新石器時代

①
②
③
④
⑤
⑥
⑦
⑧
⑨
⑩

3 有兩隻駱駝分別要去往西域和大唐，牠們應該馱上哪些恰當的物品前往各自的目的地呢？

① 來通酒杯
② 絲織品
③ 舞者
④ 茶葉
⑤ 瓷器
⑥ 葡萄
⑦ 唐三彩
⑧ 毛織品
⑨ 冶鐵技術
⑩ 胡服
⑪ 鑿井技術
⑫ 玻璃杯

西域 ②

大唐 ①

小朋友一起來幫忙

把初唐、盛唐和中晚唐的女子髮型冊補充完整吧！

最後一關了，擦亮
你的眼睛吧！

我們有五處不同呢，快來 🔍 找出來吧！

1

2

和我們一起拍拍張大合照吧！

我是答案

一 選一選

1. 秦始皇陵兵馬俑　　2. 唐玄宗李隆基

3. 牛臉羊角　　　　　4. 統一服飾

5. 7 男 1 女　　　　　6. 大大的把手

7. 京都　　　　　　　8. 貞觀之治，開元盛世

二 判一判

1. ✘　　2. ✘　　3. ✘　　4. ✔

三 填一填

1. 立射俑　跪射俑

　　輕裝步兵俑　高級軍吏俑　重裝步兵俑

2. ① ③ ⑥ ⑦ ⑩

　　② ④ ⑤ ⑧ ⑨

3. ② ④ ⑤ ⑦ ⑨ ⑪

　　① ③ ⑥ ⑧ ⑩ ⑫

4. ③ ④ ⑤ ⑦ ⑪

　　① ⑨ ⑩ ⑬

　　② ⑥ ⑧ ⑫

四 找一找

1.

2.

　　親愛的小朋友，感謝你和博物館通關小列車一起經歷了一段美好的知識旅程。這些好玩又有趣的知識，你都掌握了嗎？快去考考爸爸媽媽和你身邊的朋友們吧！

◆ 答對 8 題以上：真棒，你是博物館小能手了！

◆ 答對 12 題以上：好厲害，「博物館小達人」的稱號送給你！

◆ 答對 15 題以上：太能幹了，不愧為博物館小專家！

◆ 全部答對：哇，你真是天才啊，中國考古界的明日之星！